365
reflexões para viver o
agora

Mensagens
inspiradoras para
o DESPERTAR

FLAVIA MELISSA

365 reflexões para viver o agora

Mensagens inspiradoras para o DESPERTAR

)|(Academia

Copyright © Flavia Melissa, 2018
Copyright © Editora Planeta do Brasil, 2018
Todos os direitos reservados.

Preparação: Renata Lopes Del Nero
Revisão: Tomoe Moroizumi e Olívia Tavares
Diagramação: Márcia Matos
Capa: Luiz Sanches
Ilustrações de miolo: Shuterstock

CIP-BRASIL. CATALOGAÇÃO NA PUBLICAÇÃO
SINDICATO NACIONAL DOS EDITORES DE LIVROS, RJ

M47t
   365 reflexões para viver o agora / Flavia Melissa. - 1. ed. - São Paulo: Planeta, 2018.

   ISBN 978-85-422-1190-0

   1. Técnicas de autoajuda. I. Título: Trezenta e sessenta e cinco reflexões para viver o agora.

17-46482   CDD: 158.1
                              CDU: 159.947

2021
Todos os direitos desta edição reservados à
EDITORA PLANETA DO BRASIL LTDA.
Rua Bela Cintra, 986 – 4º andar – Consolação
São Paulo-SP – 01415-002
www.planetadelivros.com.br
faleconosco@editoraplaneta.com.br

Este livro é uma compilação de frases, pensamentos, reflexões e desafios para servir de auxílio ao processo de despertar para a importância de vivermos no aqui e no agora. Este conteúdo, quando colocado em prática, é verdadeiramente transformador e serve para qualquer um interessado em se desenvolver e se tornar uma pessoa melhor e mais feliz. A forma de ler este livro depende de cada um: pode ser lido na sequência de suas páginas, ou você pode simplesmente escolher uma ao acaso, como em busca de uma orientação para o seu dia ou para uma questão específica que esteja enfrentando. Quer você seja homem, mulher, jovem ou já com certa idade, irá tirar bom proveito destas palavras que estão conectadas a uma verdade profunda e esquecida dentro de cada um de nós. É uma oportunidade de reconexão com a sua própria essência adormecida e com o processo de despertar para sua melhor versão.

Você é
responsabilidade
sua.
O que você
quer criar
para si hoje?

Quer saber o que está faltando de verdade na sua vida? **Você**!

Pensamento do dia:
"De hoje em diante, aceito a abundância infinita e permito que ela se manifeste em minha vida".

O lado de fora é impermanente e está sempre em transformação, não importa o que você faça. O que depende de você é o que acontece do lado de dentro.

A preocupação
não faz você reagir
melhor quando
algo acontecer,
ela apenas leva
embora a paz
de espírito que
você pode sentir
neste momento.

O momento certo é o atual. Tudo está como deveria estar, apenas sua mente diz o contrário.

Você é o
centro do seu
próprio Universo.
Construa, com
suas atitudes,
um Universo
de paz.

Cada pequeno passo na direção certa é um grande passo na direção certa.

Se está bom
demais para ser
verdade é porque
provavelmente
... é verdade.

O medo
não tem
nada a ver
com a vida.

Você não chegou
aonde está de um
dia para o outro.
Por que quer que as
transformações em
sua vida aconteçam
em segundos?

Não espere a catástrofe acontecer. Tome, agora mesmo, a decisão de mudar sua vida.

Tudo depende do quanto você está disposto a arriscar.

Sua
felicidade
está no aqui
e agora!

Onde
quer que
você esteja,
esteja de
verdade.
A vida
precisa
de você
desperto.

Às vezes,
você precisa
simplesmente parar
de se preocupar, de
se questionar, de
duvidar. Tenha fé
que tudo dará certo.
Talvez não do jeito
que você planejou.
Mas do jeito que
tem que ser.

Conecte-se com
o espaço sagrado
do seu coração
e permita que
todo o seu ser
seja inspirado por
aquilo que faz a
sua alma cantar.

No dia de hoje,
permita a si mesmo
pequenos prazeres.
É no sentir-se bem
que reside o segredo
da felicidade.

Não tema
ser algo que, no
futuro, seja diferente
do que você quer ser.
Use sua energia para
evitar que você deixe
de ser quem já é no
dia de hoje. Brilhe em
sua própria verdade!

O caminho da espiritualidade nem sempre é fácil; não porque Deus ou o Universo não tenham mais nada a fazer além de criar situações tensas para que você se lasque. Não é isso, não. O caminho nem sempre é fácil porque é um trajeto de autorresponsabilidade. É um percurso que ninguém vai fazer por você. Nele tudo gira em torno do "eu sou", e o "eu sou" não admite desculpa ou vitimização. O caminho da responsabilidade é por vezes árduo, mas é o único caminho. Todos os outros são ilusão.

O que vier do seu coração encontrará terreno fértil para se desenvolver e crescer. Apenas acredite!

Seu futuro é criado a partir do que você escolhe fazer hoje, não amanhã. O que você vai fazer ainda hoje por sua tão sonhada plenitude?

Quando você fecha o seu
coração por medo de sofrer,
cria uma barreira entre você
e tudo o que há. Não permita
que isso aconteça. Qualquer
tipo de barreira entre você e o
Universo faz com que a energia
pare de fluir. Abra as portas e as
janelas do seu coração. Aceite
que a escuridão é apenas a
ausência de luz e que a dor é só
a ausência de amor. Permita que
o "sim" penetre em sua vida e
em seu coração, se entregue ao
"sim" e deixe que a vida flua.
O contentamento está logo ali,
dobrando a esquina, você
apenas tem que chegar lá.

Sua mente determina
absolutamente tudo
o que você vive.
Antes de começar a
fazer planos concretos
de como alcançar
a vida que você
quer ter, é preciso
acreditar que seus
sonhos são possíveis!

O maior obstáculo que existe entre você e a abundância é você não se sentir merecedor dela. Essa é a única energia que pode barrar o fluxo natural do Universo. Pensamentos errôneos de pequenez, demérito e falta de valor a respeito de si são os verdadeiros inimigos. Nunca é o que está fora, é sempre o que está dentro.

Pare de querer ser aceito. A menos que você já tenha aceitado, valorizado e amado cada pedacinho de si mesmo, não exija que o outro faça algo de que você ainda não é capaz.

Se você quer ser feliz... seja!
O que o impede?
Pare de pensar que você vai ser feliz "quando", "se" e "contanto" que algo aconteça. Você pode ser feliz agora, exatamente neste momento, apesar de qualquer coisa. Felicidade são óculos que se põem, são lentes através das quais você enxerga o mundo. Não existe felicidade "quando", existe felicidade "enquanto". Pense nisso e sorria para a vida – aposto que ela vai sorrir de volta!

Pensamento do dia:
"Não tenho como
mudar o que as
pessoas pensam;
só posso mudar a
minha atitude em
relação ao que
elas pensam".

O dia de hoje traz algo de único e não adianta negar. Todo dia é único e traz alguma novidade, mesmo quando algo se repete, pois você tem uma nova e diferente possibilidade de escolha de como agir diante da mesma situação. Não se iluda com as suas percepções da realidade. O cenário pode se repetir, mas você só vai se repetir se quiser. Sempre é tempo de algo novo. O novo é a única certeza. O que você escolhe?

Seja o tipo de pessoa que você gostaria de conhecer e ter como amigo, parceiro, familiar, chefe ou vizinho. Inicie uma reforma íntima hoje mesmo e perceba que "mudar o mundo" começa com a mudança em você.

A meditação é o
verdadeiro remédio
do qual nossas
almas precisam.
A verdadeira
revolução vai
acontecer quando
as pessoas olharem
mais para si e
menos para o outro.

A cada passo do caminho, procure colocar uma dose extra de amor em tudo o que fizer.

Se lhe disserem algo que não goste: adicione amor.

Se lhe derem um conselho que não pediu: adicione amor.

Se enxergarem algo em seu comportamento que para você não está lá: adicione amor.

Adicionar doses generosas de amor em tudo o que você vê é, antes de um gesto de amorosidade com o próximo, um gesto de amorosidade consigo.

Quando você diz "sim" para a vida, o Universo inteiro se realinha para dizer "sim" para você.

"Não amaldiçoe a escuridão. Acenda uma vela."
– Provérbio Chinês

Relaxe e confie.
Existe muito
amor para você
neste Universo.

Cada dia é
único e esconde
em si infinitas
possibilidades!

Toda dificuldade é
uma oportunidade
de reencontro
consigo mesmo.

Eu desafio você a ser inocente. Não ingênuo, irresponsável, sem noção. Inocente. Coração aberto. Sem maldade ou fingimento. Sem trauma. Sem dor. Inocente. Como se nunca tivesse sofrido, se machucado ou se decepcionado um dia. Você consegue?

Escolha suas cores. Pinte sua vida com as suas favoritas. E não se esqueça: o que pensam de você só se torna um problema seu se você concordar com isso. Cada um só vê a si. Nenhuma prisão é pior do que viver sua vida de acordo com o que os outros pensam de você!

Pensamento do dia:
"Uso minha intenção
consciente para
manifestar meus
sonhos. Tudo de que
preciso mora dentro
do meu coração".

Não importa onde você esteja agora. Importa o que você faz a partir de onde está. Lembre-se de que você cria sua realidade com base no que pensa e sente. Por isso, seja ágil em corrigir quaisquer pensamentos que estejam impedindo que a vibe que você emana para o Universo seja de amor e bondade. Repita: "eu amo você", "me perdoe", "sinto muito" e "sou grato".

Que seus pensamentos e ações venham sempre de um lugar de amor!

Um dia a gente aprende que a menor distância entre dois pontos é ser você mesmo; na maior autenticidade possível, expressar o que você sente e o que pensa; viver na espontaneidade de ser quem você já é. **Nunca é tarde demais para ser quem você quer ser!**

A única diferença entre a pessoa que você é e a pessoa que você quer ser é o que você faz.

A Criação não comete enganos. Se você existe e está aqui, é porque tinha que estar. Honre o seu direito de nascença: seja você mesmo o máximo que puder. Não tenha medo de não ser amado caso você demonstre suas fragilidades. Tenha medo de um amor que não admite fragilidades! Seja você mesmo e seja inteiro. Agora!

Desenvolva-se,
pois quando você
se desenvolve, o
mundo progride
com você.

Confie, mais do que tudo, em seus próprios processos. Tudo tem seu momento ideal de acontecer. Se você busca uma paz interior que ainda não foi capaz de encontrar, simplesmente experimente relaxar no lugar em que o conflito ainda domina. Você está no caminho, não se esqueça.

Seus desafios são seus
e de mais ninguém.
Ninguém está nesta
vida para fazer o que foi
destinado a você. Por isso,
a cada obstáculo, saiba
que a sua vida não acontece
com você, ela acontece
para você. O que o maior
desafio que você vive hoje
tem lhe ensinado?

Seja seu maior aluno e seu grande professor: você tem tudo de que precisa exatamente aqui, exatamente agora!

Pensamento do dia:
"Hoje amarei todas
as coisas e pessoas
que cruzarem o
meu caminho".

Viva o aqui e agora,
respeite-o, acolha-o.
Aceite absolutamente
tudo sobre si mesmo, aqui
e agora. Apenas assim
nos tornamos imortais.
Imortalidade é, na verdade,
a consciência suprema de
que o agora é a sua única
oportunidade de fazer algo
efetivo por si mesmo, e o
aqui é o único lugar onde
você vai estar de verdade.

Faça do hoje a melhor versão possível de felicidade. Esteja onde estiver, na companhia de quem for, sempre haverá situações em que seu livre-arbítrio poderá ser exercitado e você poderá escolher se avança na direção do amor ou se recua em seus apegos, medos e hesitações. Permita que você seja, cada vez mais, um instrumento do amor divino. Ame, ame, ame: não porque o outro mereça, mas porque amor é o que de melhor você pode sentir.

Sabe o hoje?
É o amanhã para
o qual você deixou as
decisões importantes
de ontem para tomar.
Por isso, aja: sempre
vai ser hoje.
Sempre!

Procure seu lugar no mundo, mas se atente: para onde você for, vai se levar junto. Não se engane achando que existe um "abandonar-se", porque não há. Para onde você for, lá você estará. Por isso, cuide do mundo interno da mesma maneira que você se preocupa com o mundo externo. O dentro não existe sem o fora, do mesmo modo que o céu não existe sem a terra, nem a luz existe sem a escuridão. Simples assim. Se fosse para você olhar para fora o tempo todo, Deus não teria lhe dado pálpebras.

Procure fazer da gratidão o seu sentimento mais recorrente. Nada é capaz de entrar em lugar algum sem que haja espaço disponível para ser ocupado, e o sentimento de gratidão é uma porta aberta para que todas as maravilhas do mundo fluam em abundância para sua vida.

Sua vida tem que ser algo além de simplesmente existir. Vivendo ou sobrevivendo? O que você tem feito?

O amor existe primeiro dentro de você. Primeiro viva o amor, depois aguarde que ele venha de fora. Nunca algo existiu antes fora do que dentro, tudo o que existe, existe pelo menos duas vezes – a primeira em ideia, a segunda concretizada.

Amor-próprio não tem a ver com estar apaixonado por sua própria imagem no espelho, não é narcisismo; tem relação com exercitar suas escolhas, independentemente do que outros pensem ou digam. Amor-próprio tem a ver com seguir seu contentamento, mesmo que ele seja considerado tolo ou fútil por quem não habita o seu corpo nem conhece o interior de sua alma. Apenas você sabe o que te move, ninguém mais.

A maior
sacanagem
do mundo
seria você ter
a capacidade
de sonhar e a
incapacidade
de realizar
seus sonhos.
Acredite!
Você consegue!

O que depende de você e apenas de você para ser feliz? Escolhas que refletem um estado de espírito mais pleno estão sempre à sua disposição, portanto escolha conscientemente aquilo que te deixará mais alinhado com sua felicidade e seu contentamento.

Que seus sonhos sejam maiores que seus medos, e que você faça mais do que diz!

Existem duas formas de encararmos absolutamente tudo o que existe: através do amor ou do medo. Simples assim. Se quiser entender mais, procure examinar seu corpo, como ele se comporta quando você sente amor. Se precisar, levante da cadeira agora mesmo e expresse, através do corpo, como é quando você sente amor. Expanda esse sentimento, observe como ele toma conta do seu coração.

Direcione seu foco no quão longe você já chegou, e não em quanto falta para chegar.

Não adianta pedir se não está pronto para receber. Você precisa estar aberto para as transformações que quer experimentar.

Em vez de se odiar
pelo que você não é,
ouse gostar de você
mesmo por tudo
o que você é.

Viver no
presente é a sua
única alternativa:
o resto já foi
ou ainda
não chegou!

Abundância é ter aquilo que você precisa para fazer o que precisa no momento em que precisa – nem mais nem menos. Abundância não é excesso, e sim suficiência.

Seus erros dizem mais sobre você do que você imagina: a cada erro que comete, você prova ao Universo que está tentando.

Nada pode te
impedir quando
você se permite.

Às vezes você ganha,
às vezes você perde.
Mas se você quiser,
uma coisa nunca
muda: você sempre
pode aprender.

Apenas o agora é
sagrado! O passado
virou cinzas, o futuro
é uma bolha de sabão
prestes a estourar.
Apenas o agora contém
a semente que você
pode plantar para
construir a sua vida.
É agora, apenas agora!

Viva sua vida
sem dar bola
pra torcida!

**Insista, resista:
persista um
pouco mais!**

Seu olhar determina sua realidade e depende única e exclusivamente de você. A vida lhe deu um pescoço por um bom motivo: para escolher a direção em que olhar!

Construa pontes,
não muros!

Se você
ainda está vivo
é porque ainda
dá tempo!

Limpe sua mente
e a eduque para
se sintonizar
apenas com
o que é positivo.
Sua vida vai mudar!

Às vezes não dá tudo certo. E está tudo certo!

Você não vai começar a viver o futuro se continuar apegado ao passado. Aceite, perdoe.
Siga em frente!

Siga suas paixões.
Siga seu encantamento.
Nada é mais capaz de
criar uma realidade
feliz do que um coração
batendo contente.
A partir do momento
em que você levar suas
paixões a sério, se
preocupar mais em vivê-las
aqui e agora e não se
importar em satisfazer
expectativas, aí sim você
terá entendido o real
sentido da felicidade.

Em seu contrato de
vida firmado com
o Universo, a sua
parte é ter fé!

Medite:
quando você se
ilumina, o mundo
inteiro se ilumina
com você.

A vida segue como é
e existe beleza nisso.
Se eu pudesse lhe dar um
conselho, seria: "Está tudo
bem em ser você. Você é belo.
Você é talentoso. Você é divino.
Você é único. Você é o que tinha
que ser e reconhecer o que você
viveu com honra e reverência é
a única coisa capaz de te levar
adiante. Não se engane com
falsas promessas de gente que
acha que você tinha que ser
diferente do que é. Descubra
o modo de ser quem você é
da forma mais plena
possível e, então, o seja".

A vida
é mágica.
E se você
não enxerga a
mágica é porque
está gastando muito
tempo e energia
em brigar
com o que é.
O que é, é!

Por mais escuro que seja o lugar onde você está agora, o Universo inteiro está conspirando – e o faz o tempo todo – para que você viva o cenário ideal para aprender o que precisa neste momento. Por mais que doa: as coisas, pessoas e situações com as quais você se depara são sempre os mestres dos quais você precisa aqui e agora. Não se esqueça.

Quando você entende que todo mundo faz o melhor que consegue, a vida fica mais linda.
E leve.

Repita comigo: "Estou em segurança. Nada em minha vida acontece sem que esteja de acordo com a perfeita ordem divina. Inspiro confiança e expiro tranquilidade, direcionando amorosidade para que minha mente não se apresse em julgar o bom e o ruim. Às vezes, a maior desgraça se transforma na maior das bênçãos se eu me abrir para a vida e para o que vem dela. Eu sou importante para o Todo, que não seria o Todo se eu não estivesse aqui. Existe muito amor aqui para todos nós".

Às vezes você só
precisa continuar
andando um
pouco mais.

A brasa só queima quando está perto da fogueira; quando está longe, apaga. Por isso, mantenha-se próximo a pessoas que te inspirem, que te encantem e que te façam ter vontade de ser uma pessoa melhor.

Perdemos tempo demais nos perguntando: "E se". Não existe "e se". Não existe uma outra realidade que não seja a que você vive agora, neste momento, enquanto seu coração dá essa batida, que vejam só: já passou. Já bateu; nunca mais seu coração vai bater assim. E enquanto você pensa em como sua vida seria diferente se você tivesse dito "sim" em vez de "não", se tivesse virado à esquerda em vez de à direita, se tivesse gritado em vez de ter ficado em silêncio… não percebe que, a cada batida de seu coração, você tem a chance de fazer tudo ser diferente. Mais leve, mais limpo, mais você.

Ninguém nasce sentindo
medo: nós aprendemos
a temer a vida, as coisas
e as pessoas. Por isso,
respire fundo: se você
aprendeu a ter medo,
você pode desaprender.

O que pensam de
você só é problema
seu se você concordar.
Nenhuma prisão é pior
do que viver pautado no
que os outros pensam
de você.

O que de bom você está deixando passar em meio a tudo de ruim que está te acontecendo?

Pensamento do dia:
"Hoje manterei o foco em tudo o que desejo atrair para a minha vida".

O que existe
à sua volta é um
reflexo do que existe
dentro de você.
Para o sol nascer
lá fora ele tem
que, antes, nascer
dentro de você.
Brilhe!

Desafio do dia:
durante todo o dia
de hoje, esteja aberto
para a ideia de que
absolutamente tudo
o que você ver, ouvir
ou experimentar tem
relação com você.
O que a vida está
querendo te dizer?

Carregue consigo
todos os seus sonhos
e crie a sua realidade
com base no amor,
não no medo! A vida
não vale muita coisa
se for guiada por uma
cabeça preocupada
em vez de um coração
encantado.

Para tudo existe um propósito, ainda que você não o veja. Ainda que esteja escondido. Mais cedo do que você imagina, todas as coisas aparentemente sem nexo de sua vida farão sentido. Confie!

De todos os usos
que você pode fazer
da criatividade, não
existe um mais mal
aproveitado do que
a preocupação.

Apenas respire.
O Universo está
tomando conta de
todo o resto.

Aquiete sua mente.
O seu coração
sempre sabe do que
precisa para estar em
contentamento.
Seu trabalho é apenas
impedir que a voz
da mente seja mais
alta do que a dele.

Aponte para
a fé e reme!

Até quando você
vai permitir que os
outros te digam
o que você é capaz
de fazer?

Quer você se dê conta disso, quer não; quer você compreenda isso, quer não, tudo que você deseja viver e experimentar está à sua disposição aqui e agora. Ouse acreditar nisso e perceba como essa visão altera a sua percepção da realidade.

Nem mesmo seus
piores inimigos
possuem tantas armas
contra você como a
sua própria mente. Até
quando a criatura vai
dominar o criador?

Permita-se a calma. Abrace o silêncio. Conecte-se com a sua sabedoria mais profunda e simplesmente lembre de quem você é. Somos todos deuses e deusas: esse é o nosso verdadeiro potencial. Aproveite todas as oportunidades que você tiver para se reconectar com a sua natureza divina. E não se esqueça de sentir-se grato: o Universo inteiro lhe foi dado de presente apenas para que você possa experimentar a si mesmo em meio a ele.

Quando
não souber
o que fazer,
não faça nada.
Não fazer nada
também é fazer
alguma coisa!

Como podemos esperar que o Universo seja abundante conosco quando não somos abundantes para com o mundo que nos cerca? Quando você se reprime, oculta uma parte sua, ou não se revela totalmente por medo de não ser aceito, você não está sendo abundante de si mesmo, está se economizando. Você não está sendo totalmente você mesmo, está sendo 50% verdadeiro. E ainda assim espera que o Universo seja abundante, que seja 100% com você? Não será. Se você está plantando uma semente de 50% de abundância, essa semente vai germinar e dar origem a um fruto de 50% de abundância. Não há como ser diferente.

A liberdade apenas será possível quando todas as suas partes estiverem de acordo em assumir a responsabilidade envolvida em ser livre.

Tudo do que precisamos nos será dado na hora certa! Não tema as mãos vazias. Se você as tiver sempre cheias, como vai conseguir receber o que a vida tem para te dar logo ali, virando a esquina?

Inspire. Expire.
Repita quantas vezes forem necessárias até você sentir que ganhou mais espaço dentro de si mesmo. Ganhar espaço é o único e verdadeiro antídoto contra se sentir mal. Apenas repita inspirações e expirações.

Você está vivo. Não importa o que esteja acontecendo, quantos desafios esteja enfrentando, os medos que esteja sentindo e a insegurança que esteja te assolando: no aqui e agora você está vivo. Está respirando, seu coração está batendo, seu sangue está correndo nas veias. Você pode virar o pescoço e olhar em todas as direções, pode piscar caso esteja enxergando embaçado, pode abrir a boca, mover os lábios e a língua e dizer o que quiser. A qualquer momento, você pode soltar sua voz e dizer quem é. Por que então você age como se não existissem inúmeras possibilidades diante de você?

Pensamento do dia:
"Eu abraço a unicidade,
sabendo que eu e tudo
o que me cerca somos
uma coisa só".

Você pode escolher como quer viver, porque a vida é sua e ponto. Qualquer tipo de "mas é que..." tem origem no medo. Medo de não agradar, de não ser aprovado, de não ser amado, de fracassar. Por que você não vem vivendo do modo como deseja? Qual é a sua desculpa?

Que tal reprogramar seu cérebro, seu coração e sua vida hoje? Que tal sair de velhos padrões de comportamento/ pensamento que não servem de nada? Transforme-se em um arquiteto do futuro: viva no agora!

Absolutamente toda escolha que fazemos é uma semente que plantamos. E é impossível plantar maçãs e colher limões. Por isso, encare todas as situações de sua vida como consequências lógicas e inevitáveis de suas escolhas. O papel de vítima não faz nada além de paralisar suas atitudes diante da vida: assumir a responsabilidade te dá flexibilidade e harmonia para seguir em qualquer direção – sempre consciente das sementes que você está plantando.

Quanto mais se vive, mais se aprende sobre como as coisas podem ser realmente simples. Não se trata de enxergar grandes coisas em grandes pessoas, ou desenvolver grandes ideias sobre grandes fenômenos. Crescer é olhar todas as pequenas coisas que existem em nossa vida e que, juntas, nos transformam para sempre.

Pensamento do dia:
"Eu nutro o Universo e
o Universo me nutre".

Desafio do dia: falar a verdade, não importa sobre o que, não importa para quem. Apenas comunique ao lado de fora o que existe dentro de você. Esteja atento: quantas vezes você vem mentindo e omitindo sem se dar conta?

**Hoje,
crie o mundo
no qual você
quer viver.**

Não há absolutamente nada de errado com suas emoções. Emoções humanas são fluxos de energia que se esvaem em todas as direções. Não existem emoções boas ou ruins. Não existem emoções bonitas ou feias. Emoções são apenas emoções e nunca poderão ser julgadas. O que você sente não é certo ou errado. Apenas o que você faz a partir disso é que pode ser considerado certo ou errado!

Pensamento
do dia:
"Eu escolho viver
todos os momentos
da minha vida em
total e absoluta
abundância".

Por mais forte que seja sua percepção, acredite: você não está sozinho em sua dor. Em algum momento, em algum tempo, em algum lugar deste planeta, alguma pessoa já sentiu exatamente a mesma coisa que você está sentindo agora. Ninguém nunca está sozinho. Na verdade, existe até mesmo certa arrogância em achar que sua dor é só sua e de mais ninguém. Sua dor é minha, minha dor é sua; e no momento em que compreendermos que a partilha é o mais poderoso dos remédios, nossa salvação como espécie terá sido decretada.

Procure todas
as respostas
em seu coração:
ele é sua fonte!
Coração contente
não mente para
a gente.

A intuição é nossa maior conexão com o nosso eu superior. Nossa mente superior sabe o que é melhor para nós, porque ela observa tudo de cima de uma montanha, é capaz de enxergar a cena completa, e não apenas fragmentos, como a nossa mente. Permita que seu eu superior se comunique com você. Ouça a voz de sua intuição e siga o seu coração sempre.

Deixe que a sua mente se concentre no que é verdadeiramente importante. Ela não foi feita para prever tudo o que pode acontecer no futuro, nem para tentar recuperar o passado. A mente foi feita para resolver problemas do dia a dia e responder a perguntas que podem ser respondidas. Deixe o que não é importante em segundo plano e concentre toda a sua energia naquilo que importa: fazer o que agrada o seu coração.

Simplicidade:
talvez seja disso que a
sua vida precise. Respirar
fundo, inspirando a certeza
de que você está seguro e
expirando a confiança em
Deus e no Universo. Olhar
ao redor com um pouco
mais de calma e perceber
que o único motivo de você
sofrer é porque acredita no
que sua mente diz sobre
como as coisas deveriam
ou não deveriam ser.

Estar no seu caminho nem sempre significa saber exatamente aonde você está indo. Não há nada de errado em não saber. Um caminho é qualquer trajeto que esteja abaixo de seus pés enquanto você os move de acordo com as batidas de seu coração. É o seu coração que, verdadeiramente, sabe de alguma coisa. Apenas o ouça, mova seus pés ou deixe-os parados onde estão neste exato momento: não caminhar também é ir.

Esteja alinhado com o seu coração e prepare-se para viver regido pelos sinais e pela sincronicidade do Universo. Não importa o que os outros pensem ou falem de suas atitudes, nem o juízo de valor de acordo com o qual suas decisões possam ser avaliadas. Contanto que você siga o seu contentamento, tudo estará bem.

Comece de novo. Quantas vezes forem necessárias.

O que você vem fazendo para conseguir viver o que deseja? Quais têm sido seus maiores obstáculos e desafios? Em que você precisa vencer a si mesmo para conseguir transformar em realidade aquilo que só existe na sua cabeça? Não importa onde você está, sempre é possível dar o primeiro passo. Não importa o tamanho dele, o importante é caminhar.

Para que o ouro seja purificado, ele precisa enfrentar o fogo. Para que a água mude de estado, é necessário que ela seja submetida a uma temperatura extrema; algo semelhante parece ocorrer com o homem: para se transformar em algo mais pleno, melhor, é necessário ultrapassar um obstáculo final. Qual é o seu?

Eu te desafio, durante o dia de hoje, a fazer o que quer que seja que te aproxime mais de quem você é; que suas atitudes possam expressar, no lado de fora, a mesma luz que existe no lado de dentro. Que você possa ser verdadeiro e falar apenas a verdade. O que te impede?

Aceite o que
é seu por direito
de nascença: ser
você mesmo, parte
integrante de tudo
o que existe.

Cada situação que acontece é uma oportunidade de aprendizado. Fora isso, não conte com mais nada em sua vida – haverá riscos, acertos e perdas, desafios, sucessos e derrotas. Absolutamente nada é garantido, a não ser o aprendizado. Esteja consciente disso a cada passo de sua jornada, sabendo que, independente do que aconteça, o que vale é como você caminha, e não aonde vai, de fato, chegar.

A nossa vida sempre
vai ter as cores que nós
tivermos para pintá-
-la. Se você tiver azul
dentro de você, é azul
que vai usar. Se for
mágoa, ressentimento e
competição, é com isso
que vai colorir a sua vida.
Se quiser mudar o mundo
à sua volta, você precisa
mudar o que existe
dentro de você.

Eu desejo, do fundo do coração, que durante todo o dia de hoje você relaxe. Que tire o pé do acelerador. Que se agrade. Que hoje você seja capaz de se dar conta do verdadeiro presente que é este momento. Exatamente agora. Eu desejo que você perceba que nada mais existe – que, além do agora, tudo é ilusão. Desejo profundamente que você honre seus sentimentos, que diga "sim" e "não" quando assim desejar. E espero que você identifique, de alguma forma, o Deus que habita em seu interior.

Que no dia
de hoje todos
sejamos capazes
de nos manter
no único lugar
que realmente
importa: nosso
coração.

A cada escolha, uma renúncia. O que significa a sua? Quando você escolhe um caminho, você o escolhe por que o aceita ou por que está negando e fugindo de outro? A cada escolha, uma renúncia. Ao que você vem renunciando? Da chance de ser feliz? Do risco de não o ser? O que você escolhe? O caminho? A renúncia? No fim das contas, pouco importa aonde chegaremos. Importará apenas como andamos.

Penso que as respostas não devem estar em nenhum outro lugar que não seja dentro de nós. Deus, o Universo, a Criação, fizeram tudo tão grande e nós tão pequenos, tão mortais, que seria uma grande injustiça a resposta desse nosso anseio existencial estar em um local muito remoto. Aquela paz com a qual você sonha, com a qual eu sonho: ela só pode estar dentro de nós.

Quem não se sente grato e contente com a própria vida tem a mania de esperar que o outro faça por ele o que ele não é capaz de fazer por si mesmo. Quem vive o contentamento em seu aspecto mais amplo e profundo sabe que, quanto mais se amam as próprias escolhas, menos se precisa que os outros as amem!

Não perca seu propósito de vista: muito cuidado com os planos B, C e D. Muitas vezes eles apenas vão te distrair da direção que você realmente quer seguir. Se quer A, aponte na direção de A e vá!

Nenhuma grande jornada se iniciou com algo além de um pequeno primeiro passo. Ninguém jamais correu uma maratona sem ter, primeiro, aprendido a andar. E antes: engatinhar. Então, esteja você onde estiver neste momento, seja qual for sua posição no dia de hoje: este é seu ponto de partida para prosseguir em qualquer direção que queira.

Ser feliz é
para quem tem
coragem.

Comece hoje mesmo
a colocar em prática
tudo aquilo que
você vive repetindo
que seria incrível se
as pessoas fizessem.

Desafio do dia: interrompa, a tempo, qualquer julgamento que você comece a fazer sobre qualquer coisa, pessoa ou situação. Julgar é tomar partido de uma causa que você não conhece.

Viva no agora, conecte-se com o seu contentamento e permita que as "coincidências" e os sinais lhe apontem todos os demais caminhos.

Preocupe-se menos com o que os outros vão pensar de suas atitudes e escolhas e mais com sua conexão com seu coração nos momentos de decisão. Ninguém sabe o que é ser você, pensar o que você pensa, enxergar o que você enxerga, sentir o que você sente.

Desafio do dia:
encare absolutamente
tudo o que acontecer
com fé, confiança
e certeza de que
é exatamente o que
você precisa viver.

Feche os olhos. Inspire profundamente. Use todo o seu poder de visualização e criatividade para elaborar uma imagem clara do seu maior sonho – sim, aquele que faz o seu coração vibrar. Demore-se longamente enfeitando essa imagem com toda a riqueza de detalhes que ela merece. Não tenha pressa. Sempre que um pensamento te distrair, use o poder da respiração para estar mais e mais presente. Volte a sua atenção para a realidade que você quer viver, que você está criando, neste momento.

Sua vida começa
onde terminam
todas as suas
crenças limitantes.
Arrisque-se!

O Universo se comunica conosco o tempo todo. O que nos impede de ouvi-lo geralmente é o blá-blá-blá mental que ocupa nossa cabeça 100% do tempo a respeito de como as coisas deveriam ser e não são. Mas quando a gente fica em silêncio e simplesmente se aquieta o suficiente para ouvir o que a alma do mundo nos sussurra ao pé do ouvido, escuta a grande verdade do Universo sendo revelada: você é perfeito exatamente do jeito que é.

Eu acredito em **você**.

Agradeça
e receba:
simples
assim.

Desabroche.
A natureza colocou ótimas e coloridas professoras em nossa vida para que aprendamos a arte de nos revelar ao mundo sem medo do julgamento externo.
Sejamos flores.

Não exija do outro
o que você não
é capaz de fazer.
Primeiro, ame-se.
Depois, pense no
amor do outro.

A vida é boa.
Tão curta
e tão valiosa.

Sua vida é uma questão de escolha. Sua, não dos outros. Toda vez que você deixa de acreditar que é capaz de fazer algo porque alguém lhe diz que você não é capaz, é como se uma parte sua fosse expulsa de casa. Uma parte que está lá plena do próprio potencial, brilhando, consciente do seu próprio valor e do que tem a oferecer ao mundo – mandada embora, chamada de mentirosa e de falsária. Não mate partes suas para fazer valer o que outras pessoas dizem. Não faça com você o que os outros não querem fazer consigo mesmos. Seus limites foram estabelecidos por você mesmo e continuarão a ser. Ninguém tem o poder de tirar o seu poder, a não ser você mesmo. Brilhe todos os dias.

Este momento.
Aqui e agora. Você
já se lembrou de
agradecer por ele?

Existe algo de mágico e milagroso acontecendo exatamente agora.
Não perca. Deixe seus pensamentos de limitação, medo e ansiedade para lá. Presencie o milagre da existência acontecendo exatamente agora, a seu lado, sem que você perceba porque está perdido entre as realidades que preferiria que estivessem acontecendo em vez da que está acontecendo agora. Inspire e expire. Aquiete-se. O milagre da vida acontece aqui e agora. Em nenhum outro lugar.

Está tudo bem.
Mesmo quando
não está.

Questione-se muito honestamente se você tem abertura para viver as coisas que diz que quer viver.
O Universo não
nos dá nada se estivermos com nossas mãos fechadas.

Faça todas as coisas com amor. Onde quer que você esteja, esteja totalmente lá. Experimente a si mesmo em toda sua plenitude: ser você mesmo pela metade é o mesmo que não ser.

Existe um senso de presença tão grande na natureza, uma resiliência tão grande. Tanta sabedoria contida em cada folha que cai de cada árvore. Na naturalidade não existe resistência em ser o que é a cada instante. A árvore abandona suas folhas quando não precisa mais delas, quando mantê-las se tornou mais pesado do que abrir mão delas – quando o gasto energético para continuar com elas é superior à energia que elas trazem. Esta sabedoria, esta falta de ego, é tudo o que devemos almejar.

A palavra "humildade" tem origem no radical *húmus*, em latim "terra". *Humilis*, humildes, eram os trabalhadores braçais que desempenhavam suas atribuições de pés descalços, pisando na terra. Engraçado: humilde é, em última análise, alguém com os pés no chão.

Tudo é
energia –
eu, você.

Não existe
inspiração maior
do que o amor.

Não perca seu sonho de vista.
Permita que ele seja um sol
e, então, gire em torno dele.
Sempre que pensamentos de
medo ou ansiedade estiverem
presentes, apenas troque a
sintonia e projete em sua tela
mental aquilo que você deseja
viver, sentir e ser. Não deixe que
nada te distraia de seu objetivo.
Torne-se um obcecado por seu
próprio processo e jamais deixe
de alimentar a sua alma com
exemplos positivos de pessoas
que atingiram seus objetivos.

Você
sempre
tem uma
escolha.

Penso que a vida seja apenas isto: desfrute. O que aconteceria se você não tivesse que viver cinco dias por semana esperando os dois dias do fim de semana chegarem? Se não tivesse que suportar um trabalho do qual não gosta apenas para poder ter os trinta dias de férias remuneradas uma vez ao ano? O que aconteceria se não tivesse que viver a vida com bolas de ferro presas aos pés? O que você faria se tivesse a chave? O que você faria se fosse livre?

Quase não importa
o que você faz, e sim
por que faz. Esteja
onde estiver, que o
amor, e não o medo,
esteja com você.

Você cresce quando ama.

Para se desenvolver, você precisa se des-envolver – deixar de estar apegado a algo. Des-envolva-se. Do que você quer se desapegar hoje?

Se você tem dois olhos, dois ouvidos e apenas uma boca... será que você precisa falar tanto assim? Experimente silenciar mais do que dizer.
O silêncio é uma arte, e muitas vezes é a resposta!

Curar-se é
fazer as pazes
consigo mesmo.

Existe algo mágico para acontecer hoje e você só precisa permitir que aconteça. Não resistir à vida e compreender que tudo é potencialmente um milagre e tudo o que te acontece te levará para a frente. Neste exato momento a vida está te levando para algum lugar mágico, apenas permita-se!

Qual milagre você
decide viver hoje?

Deixe que
o amor brote do
seu coração todos
os dias! Não espere
nenhuma data
especial para fazer
do seu mundo
o seu Universo
preferido.

Você já percebeu
o quanto evita o
sofrimento?
O quanto foge da dor?
O quanto corre, seja
lá em que direção for,
apenas para não sentir
algo desagradável que
você já está sentindo?
E se você não fugisse?
E se você se permitisse?

Temos quatro estações no ano, e apenas em duas delas o Sol brilha forte no céu a maior parte do tempo. Nas outras duas, ele aparece em um brilho tênue, como quem diz, "Estou indo, recolham--se, interiorizem-se, reavaliem-se... Para que, quando eu voltar, você brilhe como eu".

Abandone tudo o que não te serve mais, o que não está mais em conexão e alinhado com a sua verdade superior e com a sua essência imortal. É inacreditável a quantidade de lixo que vamos armazenando e estocando pelo caminho: simplesmente abandone.

Siga suas paixões: a vida sempre deixa pistas, pelo caminho, de onde está o seu tesouro escondido. Siga as pistas, como Alice seguiu o coelho branco em sua toca. Siga as pistas, elas estão todas pelo caminho. No fundo e ao final, não será sua mente que te levará a lugares incríveis nunca antes vislumbrados. Será o seu coração.

Repita comigo:
"Eu sou a existência
em seu estado
absoluto. Eu sou um
campo de infinitas
possibilidades".

Durante o dia de hoje, experimente este exercício: se você planejou algo, se dedicou a realizá-lo e, sem que dependesse de você, deu "errado", simplesmente aceite e desperte em si a confiança de que o Universo tem algo preparado para você que está mais bem alinhado com a sua verdade e o seu momento.

Se existe um sonho, existe um caminho. Nada nunca foi realizado sem antes ter sido sonhado. Por isso, acredite que seu sonho possa se tornar realidade, porque tudo o que existe habitou antes no mundo das ideias. Cada sonho seu é uma vela acesa iluminando a escuridão. Não duvide disso. Quando você duvida de seus sonhos, você duvida de toda a Criação. A borboleta é uma lagarta que não duvidou de sua capacidade de passar pelo casulo.

Abra os seus olhos;
o Universo precisa
de você acordado.

Seja o que for que você esteja vivendo neste momento, saiba que você está pronto para isso. Ainda que sua mente física diga que não, você está pronto. Não duvide disso.

Não há fruta que
caia do pé sem estar
madura, nem botão
que desabroche sem
que tenha chegado o
tempo certo. Então,
relaxe. Confie. Nada se
manifesta em seu campo
vibracional sem que
exista uma correlação
entre o que acontece
dentro e fora de você.
Aquiete-se.

No dia de hoje,
viva sem fingimento,
ame sem dependência,
ouça sem se defender e
fale sem ofensas. Tenha
consciência de seu ego e
de todas as formas que ele
possui de se manifestar.
Seja você mesmo, não
porque esta é sua única
possibilidade, mas porque
ninguém é tão bom em ser
você mesmo do que você.

Que todos nós tenhamos um dia de diferentes despertares… E que abramos os olhos da alma para enxergar tudo com mais clareza. O mundo que existe é aquele que você vê!

Pensamento do dia:
"Eu sou um espírito
em constante
evolução".

Brilhe a sua própria luz. Cuide de sua própria vida. Entenda que não é o outro que te incomoda, e sim você que se incomoda com o outro. E todos os dias repita como um mantra: "O que os outros pensam ou falam de mim não é problema meu".

Amar é reconhecer a face do Divino em outra pessoa.

Pessoas são como líquidos que entram em ebulição em diferentes temperaturas. Respeite sua própria individualidade e pare de se comparar aos outros – do mesmo modo, pare de querer que os outros se comportem como você. Nós não estamos todos em uma escadaria, cada um em um degrau, para que o comportamento dos outros valide ou invalide os nossos. Cada um de nós é uma escada diferente. Cada um de nós está em seu próprio caminho.
Qual é o seu?

Que todos nós tenhamos, no dia de hoje, amor o suficiente para ativar todo o potencial do nosso coração: ilimitado, irrestrito e infinito.

Entenda que a natureza da vida é o amor, e a natureza do amor é a cura e a autorregeneração – sem ninguém precisar fazer nada. Quando você corta o joelho, seu corpo se autorregenera. Quando um fio de cabelo cai, outro nasce no lugar. Quando estamos em harmonia, nosso organismo faz esse processo o tempo todo, sem neuras ou crises – tudo flui bem. O problema acontece quando saímos do nosso centro. E não existe nada mais fácil de nos tirar do nosso centro do que uma mente com pensamentos desgovernados.

Milagres estão
acontecendo sem
que você se dê conta.
Enquanto sua mente
vaga em direções que
não te aproximam
de seus sonhos,
o Universo inteiro
conspira para que
você os viva e
os realize.

Permaneça presente.
Esteja consciente.
Vigie sua mente,
pois ela mente.
Escute seu coração.
Ele pode não ter
todas as respostas,
mas sem dúvida,
quando chegar a
hora, saberá fazer as
perguntas certas.

Se você consegue
enxergar algo, é
porque consegue
lidar com isso.

Aceite a sua sombra – o você que você prefere não ser – como parte integrante de sua totalidade. Sua sombra é o que te dá contraste, é o que valida e possibilita sua experiência humana na face da Terra: sem contraste não há percepção, não há experiência. Mais do que isso: sem sombra não há luz. A luz foi criada no mesmo instante em que a sombra e ambas são absolutamente imprescindíveis para que as duas possam existir.

Deixe seu sol interior brilhar.

Desabroche. Revele. Abandone todas as suas máscaras. Permita que a sua verdadeira natureza se revele, livre de julgamentos morais e de juízos de valor. Apenas se permita realizar o que te encanta. Sem motivos importantes, apenas porque assim você é mais feliz.

"Se quer ser inteligente, aprenda uma coisa por dia. Se quer ser sábio, desaprenda uma coisa por dia."
– Ditado Taoísta

Não existe outro modo de matar a escuridão que não passe por jogar luz sobre ela.

Você é livre para
fazer o que quiser.
Agora mesmo. Olhe ao
redor e pergunte-se:
"O que me impede?".

A maior liberdade que existe é estar no agora, com os pés fincados no momento presente, sem querer ir a lugar algum ou estar em outro local que não seja no aqui e agora. Se está em um lugar desagradável, que não quer estar, existem apenas três alternativas: abandonar, transformar ou aceitar. Se você não se permite abandonar, se lhe é impossível transformar, então aceite. Pare de brigar com o que a vida é para você neste momento. Aceite o seu lugar agora e experimente a sensação absolutamente inigualável de liberdade que essa aceitação lhe proporcionará.

Orai e vigiai seus
pensamentos e
deixe que o outro
vigie a si mesmo!

Todo o amor do mundo está à sua disposição no **aqui e agora**!

Tenha a consciência de que todo processo de transformação exige um casulo; mas lembre-se de que, além de ele ser temporário, você sairá dele muito mais colorido.

Escolha
enxergar a beleza
que existe do lado
de dentro. Todo
o resto passará.

Preste bastante atenção: o dia de hoje vai te transformar para sempre. Você nunca mais será o mesmo depois do dia de hoje, porque ele é único e nasceu para ser transformador. Portanto, pare de olhar para tudo como se a vida fosse um eterno "repeteco", apenas mais do mesmo, tudo de novo, de novo, de novo. Nada na vida é "de novo", tudo é novo, e o dia de hoje só vai ser igual ao de ontem se você quiser.

Quem diz "sim" para todo mundo há de estar dizendo "não" para si mesmo em algum momento.
É o seu caso?

As nuvens pretas e carregadas de hoje podem ser a bonança de amanhã, se você permitir que a situação te transforme e te faça transbordar e transmutar para sempre. Sem arrependimentos, sem "e se..." nem "mas é que...". Tudo tem uma razão de ser e pode ser um milagre se, em vez de resistir, você disser "sim" e se entregar.

Todos os dias
faça algo que
te encante. Não
pense nas grandes
coisas, pense nas
pequenas e quase
insignificantes – de
tanto que sua mente
te diz que elas não
valem nada. Elas
valem muito.

O que você fará por si ainda hoje? Não deixe para segunda-feira o que você pode fazer todo dia. Porque todo dia é dia de fazer algo por você.

O oposto
de amor
não é ódio.
É medo.

Tudo o que aconteceu em sua vida até hoje esteve sempre certo e serviu para te trazer ao momento atual. Nada poderia ter sido diferente do que foi, e se sua mente te diz o contrário, não é o passado que precisa de conserto: são os seus pensamentos!

Sabe por que a "lei da atração" não funciona para você? Porque você foca mais no que não quer viver do que no que quer, e porque se sente mais tempo mal do que bem. Foque em se sentir bem, faça disso uma prioridade, e você verá como a sua vida inteira vai se transformar!

Certos momentos
podem parecer difíceis
para você, então fica
a minha dica: quando
não souber o que
fazer, pergunte-se o
que você faria se não
tivesse medo. E siga
a sua resposta.

Foco na fé!

Pare tudo o que estiver fazendo agora mesmo. Vá a um ambiente externo, aberto, e olhe ao redor. Olhe para o céu. Perceba suas cores. Sinta a temperatura do dia na pele. Respire fundo e sinta o frio ou o calor penetrar em seus pulmões. Sinta os cheiros. Pise forte no chão. Espreguice-se. Você está vivo.
Você vê?

O medo e a fé são mais parecidos do que você pensa. Ambos significam acreditar em algo que não é palpável. O que você escolhe sentir hoje?

Quando um passarinho pousa em um galho de uma árvore, ele o faz sabendo que o galho pode quebrar. Ele pousa com a fé de que, se o galho quebrar, suas asas vão dar conta do recado. Essa é a fé que move montanhas. Essa é a fé que cura. O resto é blá-blá-blá. Como anda a sua?

Desafio do dia: exercitar a escolha do amor sobre o medo. Ela está aí, em cada situação e bifurcação do caminho. Em alguns momentos, vai ser o amor pelo próximo. Em outros, o amor pela verdade. E, em algumas ocasiões, vai ser o amor-próprio – que não tem nada a ver com vaidade ou orgulho. Tem relação com o estoque de amorosidade que você precisa ter para viver distribuindo o amor, fazendo-o transbordar. Tudo começa dentro e depois se expande para o lado de fora. Não se esqueça.

O que você está vivendo neste momento não é a cena final de sua vida. Nada tem uma cena final – nem a morte. Sua vida está sempre te levando para algum lugar além. Sua mente vai te soprar muitas coisas, metade delas horríveis, mas a verdade é uma só: tudo está em movimento. Lembre-se sempre de que isso também passará.

Nosso maior desafio é
deixar que tudo flua.
É dar passagem a todos os
sentimentos e permitir que
eles escoem em si mesmos.
É permitir que todas as
emoções, agradáveis
ou não, simplesmente
chovam dentro de nós.
E é chover com elas.

Se quer saber a realidade que você está construindo neste exato instante, observe o conteúdo das palavras que estão saindo de sua boca. Essa é a energia que você está emanando ao mundo. Através de suas palavras você gera emoções e reações de outras pessoas. O que você diz determina as consequências energéticas que vão se transformar na realidade quântica que você vai experimentar. Então preste atenção. Só isso.

Nós estamos, todos, constantemente protegidos sob a luz da Criação. Tudo acontece por um motivo, todos os pequenos eventos de nossa vida aparentemente caótica estão relacionados e, um dia, tudo fará sentido. Está tudo bem. Confie, agradeça, entregue.

Não se esqueça:
existe muito
amor aqui para
todos nós.

Tudo de que
você precisa está
dentro de você.
Nunca estará
em outro lugar.
Simples assim.

Ame os seus
problemas e eles
deixarão de ser
problemas.

De que forma
o que você vive
neste momento
pode te transformar
para melhor?

Para que
você ame o
seu futuro é
necessário
que você ame
o seu passado.

Faça as pazes com a sua vida. Se você ainda não conseguiu chegar aonde queria, agradeça por estar mais próximo. Apenas não desista. Continuar seguindo em frente às vezes é o melhor que você pode fazer.

Escolha, a cada dia, se
comprometer mais e mais
com o que realmente importa:
seu processo de despertar.
Nada mais é importante
na vida, apenas a escolha
que você faz, dia após dia,
de ser honesto, bondoso,
generoso e aumentar a sua
capacidade de ser empático
com as pessoas. Nada é mais
importante do que fazer
o bem não importa a quem,
falar a verdade e, sempre,
ajudar o próximo de todas
as formas que puder.

Olhar as dores
e permitir que
elas existam
é o mesmo
que permitir
que existam
rachaduras – por
onde a luz
pode entrar.

Silencie.
Aquiete-se.
Ouça.
A paz que
você busca
está dentro
do coração
que bate em
seu peito.
Permita-se
escutar.

Vivemos todos os dias, não apenas uma vez. E, ao mesmo tempo, a vida é sempre agora. E morremos também, apenas uma vez e, entretanto, pode-se morrer todos os dias. Vida e morte, ontem e amanhã: hoje é sempre. O hoje é o fim da dualidade. O hoje é o seu coração batendo. O hoje é a garantia de eternidade. Hoje somos todos eternos. Nem ontem nem amanhã. Agora e sempre.

Pensamento do dia: "Estou aberto e receptivo para todas as situações que o dia de hoje trouxer à minha vida. Recebo os aprendizados com amor e gratidão, certo de que o que acontece à minha volta segue de acordo com a perfeita ordem divina".

Agora, agora, agora.
A vida acontece no agora
e qualquer coisa que te leve
para longe do agora é ilusão.
Tem ilusão da qual a gente
gosta e que chamamos
de sonho, objetivo ou
intenção. E tem ilusão
que a gente odeia e a esta
damos o nome de medo ou
apreensão. Nada disso muda
o fato de que tudo além
do agora é ilusão.

Desafio do dia: sorrir para um estranho na rua. Será que ele vai sorrir de volta?

Existe beleza em tudo o que
acontece, e nosso maior
desafio é fechar os olhos
para o que gostaríamos
que estivesse acontecendo
e abri-los para as infinitas
possibilidades contidas no que
está acontecendo. Porque é
perfeito. E é o que é.

O único limite que existe é você que impõe. Não perca tempo com "e se...", "mas é que...", "será que...". Faça. Aconteça. Viva. No fim da vida, seus arrependimentos não vão se referir ao que você fez de errado, e sim ao que você deixou de fazer por medo de errar.

Você já se sentiu como se o Universo estivesse, dia após dia, esfregando o seu focinho no jornal, como se você fosse um cachorro que fez xixi no lugar errado? Agradeça. Essa pode ser a porta de entrada para se curar de dores que você nem sabia que existiam.

Cada dia é um novo recomeço. Se você não gostou da sua versão de ontem, pode fazer diferente na de hoje. Sem arrependimentos, sem culpas desnecessárias, sem "oh, céus". Simplesmente faça diferente. Agora, vá lá e viva!

Não existe certo nem errado: o que você escolhe fazer do seu dia e o modo como decide viver é legítimo e genuíno. Honre suas escolhas. Honre sua história. Você sempre fez o melhor que pôde e, se ao ler este livro você sente um incômodo porque acha que poderia ter feito melhor, em vez de chorar pelo leite derramado, simplesmente olhe ao redor agora e veja o que você sabe que poderia estar fazendo para melhorar a sua vida e não está. A gente não resolve a vida se lamentando pelo passado. A gente resolve a vida lidando com o aqui e agora. E aí? Qual vai ser a de hoje?

O dia de hoje
é sempre o mais
importante
e especial de
sua vida.

Aceite seus
sonhos como
possibilidades
e corra riscos
para realizá-los.
Porque é só disso
que você precisa:
correr riscos.

Nada é banal.
Use cada instante para
se tornar a sua melhor
versão e perceba como
cada pequena atitude
vai te levar além.

Sabe quando você se sente em um maremoto, lutando para manter a cabeça fora d'água, mas depois de uma onda vem outra e outra e outra? E você fica lá, no maior esforço para não se afogar? Reflita: a vida pode estar querendo te levar para outro lugar.

Preste atenção: todo mundo tem algo único a oferecer ao mundo. Todo mundo tem um talento incomparável e especial que, se não é desempenhado, deixa o mundo incompleto. Pense nisto: quando você deixa de concretizar sua missão neste mundo, impede que todas as outras pessoas o façam porque algo sempre estará faltando.

Primeiro você
dá o passo.
Depois o chão
surge sob
seus pés.

A melhor forma de fazer as pazes com o passado é aprender novos modos de olhar para o que aconteceu: conte novas histórias a respeito de si mesmo, feche novos contratos com a vida. Seja feliz agora!

Pensamento do dia:
"Sou profundamente grato
por todas as bênçãos
que recebo diariamente
do Universo!".

Quanto maior a gratidão que você sente e expressa, mais sua frequência energética se sintoniza com situações que vão de encontro com a forma como você se sente quando agradece. Ou seja: quanto mais você agradece, mais tem pelo que agradecer.

Sua vida pode ser mágica, mas você precisa ousar sonhar.
É preciso enxergar o que acontece além do que seus olhos podem ver. Você pode viver essa mágica, mas antes deve ser capaz de destruir cada uma das crenças bestas e prejudiciais que povoam a sua mente e o seu senso do que é possível ou não. O milagre fica por conta do fato de que é sempre tempo de começar. E recomeçar.

Se o outro se
incomoda com
você, o problema
é do outro. Se você
se incomoda com o
incômodo do outro,
o problema é seu!

Se estiver na dúvida,
continue andando.
O caminho do
sucesso está sempre
em construção.
Nada de "mas e se…",
"será que…",
"tinha que…".
O caminho é
para a frente.
Caminhe!

Deixe que o que tem cor, tenha cor; e o que é preto e branco, seja preto e branco. A maior parte de seu sofrimento vem por você tentar colorir o que não tem cor – ainda mais se o que é preto e branco já tiver sido colorido um dia! Focinho de porco não vai virar tomada só porque você não se conforma que o tempo fez as coisas mudarem. Entregue, renuncie. Você só sabe se algo te pertence quando deixá-lo livre para partir.

O que você fará
no dia de hoje
para ser feliz?

Ninguém é culpado de nada. Experimente trocar a palavra "culpa" por "responsabilidade" e perceba de que modo a sua percepção de mundo muda!

Você pode passar a vida culpando as pessoas pelo que te acontece, ou pode assumir a responsabilidade por 100% do que você percebe como sua realidade. Você pode ser a vítima pobrezinha dos acontecimentos, ou pode entender que tudo o que existe fora de você existe também dentro de você. Você pode achar que o problema do mundo são as outras pessoas, ou pode entender de vez que o mundo não existe – o que existe é uma realidade holográfica em que o todo existe em cada uma de suas pequenas partes.
O mundo é você.

Respire fundo, olhe
ao redor, lembre-se
de quem você é e do
que veio fazer aqui.
A vida não tem sentido
a não ser aquele que
você dá a ela.

Vida é fluxo – flua com a vida! Tudo é perfeito. Tudo está em seu devido lugar. Se você não acredita nisso, crie um novo significado para o seu passado. Aprenda com as suas dores, honre as suas escolhas e se abra para um novo amanhã.

A vida é muito curta
para ser mensurada
por medos. Quer um
conselho? Jogue-se.
No seu leito de morte,
tenho certeza de
que você não irá se
arrepender dos "erros"
que cometeu, e sim do
que você não viveu
por medo de errar.

Quando nada parece se encaixar, procure enxergar as coisas em perspectiva. Nada do que você consegue enxergar é o que está realmente acontecendo. É como quando você sobe em uma montanha e vê coisas que, de lá de baixo, onde você vive sua vida mundana, simplesmente não veria. Quando o dia está nublado, frio e chovendo, você quase se esquece de que o Sol brilha acima de toda a tempestade, que ele continua lá. Relaxe e confie. O que a sua mente te diz dos perigos é muito, muito pequeno diante da imensidão daquilo que você não vê.

Desafio do dia: recomeçar algo que tenha importância para você, mas que, por algum motivo, você deixou de lado.

Não importa o motivo de você ter desistido de seu sonho; saiba que ele não desistiu de você e continua por aí, esperando para ser vivido.

Você é um ser humano perfeito e não merece nada menos do que brilhar em toda a sua plenitude. Por isso, respire na sua própria presença e abandone o que não se alinha com esta verdade: você é perfeito. Sempre foi. Nunca deixará de ser.

Sorria para a vida,
ela vai sorrir de volta.
Não acredite em
mim, apenas tente.
Apenas faça. Perceba
como um simples sorriso
é capaz de mudar o seu
dia. E, dado no momento
certo, pode mudar o dia e
a vida de mais alguém.

Pensamento do dia:
"Quanto mais aceito que as coisas mudam, mais minha vida flui com naturalidade e sem esforço".

Eu te desejo risadas, pois são elas que mostram que o seu coração está batendo feliz dentro do peito.

Aprenda a amar as mudanças da vida, principalmente aquelas que não dependem de você. Quando aprendemos a aceitar a mudança como uma variável constante, nos abrimos verdadeiramente para o Universo e entendemos que tudo sempre acontece por um motivo – mesmo que, num primeiro momento, não sejamos capazes de entender isso. Aceitemos!

Siga os sinais.
Não se preocupe.
Você está em
segurança.
Absolutamente
nada no Universo
é randômico.
Tudo conspira
o tempo todo.
Abandone seu medo
e abra seus olhos,
só assim você poderá
ver, de fato, o que
está acontecendo
à sua volta.

Existem situações em que a única coisa que podemos fazer é aquilo que tem que ser feito.
E ponto.

Acredite que você está
pronto para viver os seus
sonhos, e você estará.
Acredite que ainda não é
a hora certa, e assim será.
Você cria a realidade quando
escolhe com quais olhos
quer enxergá-la. Milagre ou
desgraça? A escolha é sua.

Você é o seu maior
tesouro – ou há
de ser um dia.

Você pode muito, muito mais do que é capaz de imaginar. Nas condições certas, é capaz de fazer coisas inacreditáveis. Mas não espere as condições "certas". Faça o que tem que ser feito agora. Você consegue. Não se esqueça.

Desafio do dia: e se não existisse tempo? Nem ontem nem amanhã, apenas agora. De que modo essa percepção altera a sua realidade?

Estar disposto a sacrificar o que se é por aquilo em que se pode transformar é o que importa. Qual parte sua você está disposto a deixar morrer hoje?

Quando foi a última vez que você não fez de suas emoções suas grandes inimigas? Quando foi que, pela última vez, você simplesmente se aquietou e abriu espaço para estar consigo mesmo, sendo quem você é, sem resistir ou lutar contra sua verdadeira natureza?

Desafio do dia: sempre que algo acontecer diferente do que você gostaria, questione-se: "O que há de bom nisso que, neste momento, ainda não sou capaz de compreender?".

Aceite seu medo; isso não
significa mergulhar nele.
Aceite suas imperfeições;
isso não significa que você
seja defeituoso. Aceite suas
limitações; isso não significa que
você esteja imobilizado. Não fuja
de sua sombra; o único lugar
onde ela não existe é em meio à
mais profunda escuridão.

Você foi dotado de livre-arbítrio, e nada do que você faz é por causa de outra pessoa. A menos que alguém aponte uma arma para a sua cabeça e diga o que fazer, as escolhas são sempre suas. É por você. Talvez você não entenda por que se dedica a realizar coisas que te fazem mal, mas acredite: parar de dizer que você faz o que faz por causa de outras pessoas é o primeiro passo de uma bela jornada.

A vida tem
um plano perfeito
para você. Não
duvide – ou duvide.
O plano continuará
sendo perfeito de
qualquer forma.

Você pode até ter a ilusão de que, de alguma forma, preocupar-se pode te preparar para lidar com determinada situação, se e quando ela acontecer. Ilusão. Pensar assim é apenas mais uma forma de seu ego levá-lo para longe do presente. É só mais uma tentativa de controlar o incontrolável. A preocupação não te faz reagir melhor quando algo acontecer – apenas leva embora a paz de espírito que você pode sentir exatamente agora, neste momento!

Você honra o fato
de estar vivo?
Celebre! A vida
gosta de quem
gosta dela.

Não se acomode com o que te incomoda!

Imagine a liberdade de ser quem você é, sem precisar se esconder nem fingir ser alguém que não é apenas para agradar outras pessoas. Apenas imagine. E, então, pare de fingir e de se esconder. Sua verdadeira força vem de sua autenticidade!

Você só consegue ser
livre de verdade se
permitir que todos
sejam livres à sua volta.
Quando parar de fugir.
Quando se entregar
e confiar. O medo é
apenas uma ilusão.
Não se esqueça.

As coisas só farão
sentido na sua vida
quando você se abrir
para senti-las!

Não existem
verdades absolutas
– nada é absoluto,
exceto a vida.
E, mesmo assim,
ela pode ser vivida,
ou sobrevivida.
Alívio ou
sofrimento?
É você quem
decide. Decida
por você.
Você cria a
sua realidade!

Pensamento do dia:
"A felicidade é
uma direção,
não um destino!".

Sua existência
é o conjunto de
suas escolhas!
O que você
escolhe para
o dia de hoje?

O Universo tem coisas incríveis para te dar, basta que você diga "sim".

Diga "sim"!

O que aconteceria se você passasse apenas 24 horas dizendo "sim" para absolutamente tudo o que surgir?

Existe sempre uma escolha. Talvez não seja do interesse de algumas pessoas que nos enxerguemos como criadores da realidade em que vivemos, mas isso não muda a verdade de que nós sempre temos uma escolha. O que você escolhe fazer para ter a vida que quer ter?

Aceite todas as suas cores: das mais claras às mais escuras, todas elas são você. Negá-las não vai fazer com que mudem – vai apenas fazer com que chamem, ainda mais, sua própria atenção.

A vida é para
ser celebrada!
O que impede
que você a esteja
celebrando?

O despertar é um processo: exige tempo, paciência e, principalmente, humildade.

Não há folha que caia de uma árvore ou passarinho que cante sem que isso represente a melhor circunstância e o cenário ideal para que você aprenda o que veio aprender. Tudo o que acontece à sua volta neste momento é para ajudá-lo em seu processo de evolução e expansão. Por isso, não se queixe: agradeça! Tudo está sempre bem!

A mudança do seu mundo começa com a sua, e a mudança do meu mundo começa com a minha. O que você se compromete a fazer para começar a construir a vida de seus sonhos?

Nunca despreze os
sentimentos de alguém;
você não sabe quanta
coragem foi necessária
para eles serem
revelados a você.

A vida é
um eterno
"ganha-ganha".
Se der certo, fica
a alegria. Se der
errado, ficam os
aprendizados.

Paraíso e inferno
existem apenas
dentro de nós.

Seja você mesmo sempre – até porque, por mais que tente, você nunca conseguirá ser outra pessoa!

Aquilo que você escolhe como seu foco se transforma em sua realidade. Escolha bem!

A vida flui suave. Nada que é fluido pode ser forçado. Respeite o fluxo e o ritmo da vida para estar em harmonia. Procure sair de dentro de sua cabeça e entrar de vez em sua vida.

Você dá poder
a tudo de que
reclama. Pelo que
você escolhe se
sentir grato?

A vida é e sempre será um enorme aprendizado. Nunca, em tempo algum, a tarefa estará concluída. E por mais que haja dor e sofrimento, receio e insegurança, se olharmos bem, perceberemos: sempre existe beleza!

Hoje é dia de viver, de amar, de esperar que o melhor aconteça. Hoje é dia de entender que tudo tem uma razão de ser, de confiar na inteligência divina e em que nenhuma flor cai de uma árvore sem que ali Deus esteja presente. E hoje é dia de agradecer – independentemente do que aconteça.

Desafio do dia: encarar todas as pessoas que cruzarem seu caminho, durante o dia de hoje, como professores que vieram te ensinar algo.

Deixe que as suas emoções se transformem umas nas outras. Deixe que elas adquiram vida própria, cresçam, cheguem ao seu auge e se despeçam de si mesmas, transformando-se em algo mais. Em algo maior. Maior do que eram. Nós somos bem mais do que a soma de nossas partes. Nós somos muito mais do que aquilo que sentimos e pensamos. Nós somos o mundo. E o mundo gira. Você gira com ele?

Fracasso e derrota são apenas pontos de vista. Não se esqueça!

Toda caminhada, por mais longa que seja, começa com um pequeno e primeiro passo. A grande maioria das pessoas sofre porque não consegue enxergar, logo de cara, como fazer as grandes mudanças que a sua vida demanda – tudo parece ser tão grande, tão ambicioso, tão definitivo. Dificilmente se enxergam as pequenas atitudes que contam muitos pontos em qualquer processo de transformação. E é por meio das pequenas atitudes, das pequenas escolhas e de todos os pequenos passos que o nosso caminhar é feito.

O que te parece
impossível hoje?

A única verdade
que existe é:
você recebe o que dá.
Então, respire fundo
e lembre-se sempre
de que só existem
duas formas de viver:
no amor ou no medo.
A escolha é sua.

Não importa
se o que está
acontecendo é
ou não o que sua
mente gostaria
que estivesse
acontecendo.
Se está acontecendo
é porque é isso
que você
deveria viver.

Experimente confiar!

Tudo acontece por um motivo.
Tudo acontece por um motivo.
Tudo acontece por um motivo.
Tudo acontece por um motivo.
Tudo acontece por um motivo.
Tudo acontece por um motivo.
Tudo acontece por um motivo.
Tudo acontece por um motivo.
Tudo acontece por um motivo.
Tudo acontece por um motivo.

Não deixe para
amanhã o que
você pode amar
em você hoje.

Tudo o que você viveu até hoje te ajudou a desenvolver habilidades que foram fundamentais para que conquistasse as melhores coisas de sua vida.

Você não está onde está por acaso. Você é merecedor tanto de suas bênçãos quanto de seus desafios – assuma a responsabilidade por si mesmo e ganhe, de brinde, a capacidade de transformar a sua vida para sempre.

Esqueça o que foi, esqueça o que será. Sua vida é o que acontece aqui e agora, neste momento. Escreva a sua própria história utilizando as cores que estão à sua disposição agora mesmo. Esteja atento!

O bom jogador não é aquele que nunca sai do centro de campo. O bom jogador é aquele que percebe que o mais importante é voltar para o centro tantas vezes quantas forem necessárias!

Nada na vida é mais importante do que se sentir em paz com sua a própria vida. Quando você alcança essa paz, todo o resto faz sentido.

Pensamento do dia:
"Todas as vezes em que se vir diante de um problema, questione-se: 'No que eu preciso acreditar para que isso não seja um problema?'".

Cada desafio é
uma oportunidade.
Não fuja do que
coloca você à prova!

A vida pode ser linda e feia, pode ser alegre e triste, e ainda pode ser qualquer coisa. Porque você pode ser qualquer coisa, e a vida é o que você enxerga do seu ponto de vista. Do lugar de onde você está. Seus olhos determinam a sua realidade, e a sua visão determina o seu cansaço ou a sua glória.

O mundo inteiro te
pertence quando
você não precisa de
gaiolas ou algemas.
Viva! Liberte-se!
Liberte os outros!
Seja!

Quem sabe que está certo não precisa convencer ninguém disso. Toda vez que você entrar em um embate pelo ponto de vista certo, questione-se se, de fato, você tem certeza do que está dizendo. E não precisa admitir a verdade para ninguém mais a não ser você mesmo.

Nós todos sentimos as mesmas coisas, em momentos diferentes, por motivos diferentes. Tudo o que você sente, todas as pessoas do mundo já sentiram em algum momento – talvez em diferentes circunstâncias. De que modo esse pensamento altera sua percepção da vida?

Coisas incríveis acontecem quando ocupamos o espaço sagrado de nosso coração.

Quanto mais
você se agrada,
menos sente
a necessidade
de agradar
os outros.

Quanto maior
e mais intensa a luz,
mais escura
é a sombra.
O momento do
dia em que a
sombra é mais
escura é ao
meio-dia, você
já percebeu?

Você já é bom o suficiente. Você já tem tudo de que precisa. Você pode ganhar conhecimento e adquirir ferramentas, mas isso não significa que você será melhor do que já é. Será diferente, não melhor. Colocar as coisas como melhor ou pior apenas faz com que você se perca nos terrenos das comparações, e estas só te afastam da beleza do que é neste exato momento. O que é, é. E está bom em ser assim.

Pense em suas emoções como visitas que chegam à sua casa: acolha-as com carinho e respeito porque é da natureza da visita ir embora. Mais cedo ou mais tarde. Isso que você está sentindo se transformará em algo mais. Não se apegue!

E quando tudo ficar
confuso demais para
a cabeça dar conta,
lembre-se de respirar.
Está tudo bem.
Você está em segurança
e existe muito amor
aqui para todos nós.

Em seu interior existe uma canção adormecida que você não ouve. Por tempo demais você acreditou no que as pessoas diziam a seu respeito – que de alguma forma você tinha de ser mais isso ou menos aquilo, ser melhor do que é. Você acreditou e agora sente falta de algo dentro de si, algo que não consegue encontrar nem ao menos saber onde está, e você vem buscando encontrar isso em outras pessoas. Você sente esse buraco dentro da alma e tenta preenchê-lo se relacionando com o outro, mas não percebe que a sua relação mais importante sempre será consigo mesmo, que existe essa canção adormecida dentro de você que você não ouve. Mas me ouça:
já é tempo.

Não importa
o que aconteça:
sempre existirá
um amanhã.

Há uma regra que vale para tudo na vida: aquilo que você alimenta é o que cresce. Relacionamentos, comportamentos, bons e maus hábitos. O que você resolveu alimentar e deixar de alimentar no dia de hoje?

Você nunca esteve
no controle nem
nunca estará. Então,
simplesmente relaxe!
Para que se preocupar se
não depende de você?

Desafio do dia:
somos todos recém-nascidos.
Como você enxergaria o mundo
caso tivesse acabado de nascer?
Se nunca tivesse sentido dor?
Caso nunca tivessem te magoado,
nem infringido sofrimento?
Se não soubesse a diferença
entre bom e ruim? Se tudo o que
você vivesse fossem experiências
e sensações?

Procure não por
mestres que te
deem respostas, mas
por companheiros
de jornada que te
ajudem a fazer,
a si mesmo, as
perguntas certas.
O que você precisa
aprender hoje?

Todos os dias
a vida te dá
uma nova
oportunidade!

Desafio do dia:
não se entregue a
quaisquer pensamentos!
Encare-os como trens
que passam, um após o
outro, em uma estação
ferroviária. Você está na
plataforma e não precisa
se jogar dentro do primeiro
que passar. Escolha o trem
no qual quer entrar e,
enquanto este não passa,
apenas observe os outros
irem e virem.

Não encare sua vida como um problema a ser resolvido, mas sim como um mistério a ser desvendado.

Nem todos os dias são fáceis, mas mesmo assim eles podem ser incríveis. Tudo depende da forma como você decide encarar seus desafios.
Se você optar por enxergar suas experiências como ensinamentos valiosos que o Universo preparou cuidadosamente para você, tudo sempre será uma grande aventura.

Seu ponto de vista não trata do que você está observando: trata apenas da posição onde você está quando observa o que observa. Em vez de olhar para o outro e criticá-lo, compreenda que tudo o que você enxerga nele diz respeito apenas a você mesmo. O que você tem a aprender com o seu próprio julgamento?

O seu
"Era uma vez…"
começa agora!

Desafio do dia: quando foi a última vez que você teve um momento só seu? Um momento só seu para estar com você, fazer o que te faz feliz, contente, satisfeito com a vida? Durante o dia de hoje, faça algo por você!

Respire fundo, feche os olhos e visualize seus pensamentos se transformando em bolhas que sobem com o ar que sai por suas narinas quando você expira. Deixe que essas bolhas simplesmente estourem. Deixe que elas te deixem em paz.

Não acredite
em quem
não acredita
em você.

Se você não tem
como controlar
o que te acontece,
pode controlar
como reagir
a isso. Suas
atitudes dependem
de sua escolha.
Não se esqueça!

Da mesma forma que você sempre faz o melhor que consegue, todo mundo só age como é capaz de agir naquele exato momento. Por isso, escolha perdoar as dores do seu passado através da compreensão de que não existem mocinhos ou bandidos na história de sua vida. Somos todos vítimas de nossas próprias percepções de limitação. Perdoe-se e perdoe!

Até quando você vai se culpar pelo que não foi capaz de fazer no passado?

Existe uma imensidão de flores na natureza, e nenhuma delas fica tentando deixar de ser o que é porque fica olhando para a flor ao lado, se comparando e se sentindo inferior. Por que você faz isso com você mesmo?

Passarinhos não voam com ninhos nas costas porque sabem que, se precisarem construir outro, tanto o Universo vai prover quanto serão capazes de fazer outro. Imagine como o voo do passarinho seria afetado se ele não se desapegasse do ninho. Imagine como seu voo vem sendo prejudicado!

O rio não resiste a seu próprio curso. Ele não briga com as curvas do caminho, não resiste às pedras do percurso nem fica deprimido quando aquela bela árvore repleta de flores fica para trás. Ele simplesmente continua em frente. E sua recompensa é se transformar em oceano.

Cada estrela do céu possui um brilho único. Imagine um céu estrelado com todas as estrelas brilhando na mesma intensidade, como seria sem graça. O que torna a vida rica é justamente a diversidade: até quando você vai tentar ser igual a todo mundo?

Liberte-se da
importância
que você deu às
opiniões alheias!

Todas as vezes em que você se perder de si mesmo, lembre-se de que sua natureza é o amor. O que você faria, se todo o seu ser fosse feito de amor?

Desafio do dia: perceba quantas vezes por dia você repete frases como "assim que isso", "assim que aquilo". Por que você vem postergando a sua felicidade?

Não existe liberdade maior do que perceber que você é o único responsável por si mesmo.

Pensamento do dia:
"No dia de hoje, escolho enxergar apenas o bem em todas as pessoas que cruzarem o meu caminho".

Quando você
fala, o primeiro
ouvido a escutar
o que você diz é o
seu. Escute seus
próprios conselhos.

O que vem com
o ano que vem?
Existe futuro?
Ou é tudo e
sempre o mesmo
e eterno agora?

Leia também:

Você sente que a sua vida está passando depressa e sem sentido? Olha à sua volta e não se sente parte de nada? Não mais se reconhece? Do que você precisa para mudar? "Enquanto buscarmos a cura do lado de fora, seremos malsucedidos. É aprendendo a olhar para dentro que conseguimos tratar das feridas que dão origem à ideia de que algo nos faz falta." Este é o ponto de partida de *Sua melhor versão – Desperte para uma nova consciência*, primeiro livro da psicóloga e educadora emocional Flavia Melissa. Ao compartilhar suas histórias, ela expõe suas feridas, nos fazendo refletir sobre o significado da vida e como podemos viver de forma plena e feliz. Das dores de um lar destruído, codependência emocional, transtornos alimentares, vazio existencial e uso de drogas, Flavia Melissa traz um olhar sobre si ao mesmo tempo em que fala sobre cada um de nós. "Para onde quer que a gente vá, a gente sempre se leva junto. E saber que temos todos os recursos para construir a realidade que desejamos faz toda a diferença." Descubra sua melhor versão e desperte-se para uma nova consciência!

**Acreditamos
nos livros**

Este livro foi composto em Caecilia e
impresso pela Gráfica Santa Marta para a
Editora Planeta do Brasil em junho de 2021.